Le livre qui fuit

Pour Chiara.
R. F.

© 2016 Éditions NATHAN, SEJER, 25, avenue Pierre-de-Coubertin, 75013 Paris
Loi n° 49-956 du 16 juillet 1949 sur les publications destinées à la jeunesse,
modifiée par la loi n° 2011-525 du 17 mai 2011.
ISBN : 978-2-09-256416-5
N° éditeur : 10216590 – Dépôt légal : mai 2016
Achevé d'imprimer en mai 2016 par Pollina (85400, Luçon, France) - L76545

ROLAND FUENTÈS

Le livre qui fuit

Illustrations d'Amandine Laprun

Nathan

un

Le cadeau de papa

ALLONGÉ SUR SON LIT, sa veilleuse allumée, Timéo dévore le livre que papa lui a offert. C'est un ouvrage très ancien. De temps en temps, le petit garçon y fourre son nez pour savourer l'odeur de vieux cuir.

– À ton tour de posséder ce livre ! a murmuré papa en le lui tendant. *Le Secret des mots d'amour.* Il a été écrit voilà bien long-temps par le troubadour Gilbert de Treblig.

On y apprend comment écrire un poème d'amour véritable. C'est un livre très très rare. Prends-en grand soin !

Timéo connaît les pouvoirs de ce livre. Grâce à lui, papa a déclaré son amour à maman, et papi à mamie, et grand-papi à grand-mamie… Timéo en aura besoin pour faire comprendre à Juliette ce qu'il ressent pour elle.

Sur la troisième page de l'objet très très
rare, papa a inscrit de sa plus belle plume :

Mon cher Timéo,
Reçois en cadeau d'anniversaire
ce livre qui, j'espère,
te transpotera dans le monde merveilleux
des mots d'amour !
Ton papa

Jusqu'ici, personne n'avait osé écrire sur le livre très très rare. Mais papa est comme ça, il ne peut pas s'empêcher d'écrire des petits messages partout.

Dès les premières lignes, Timéo a plongé dans le texte : Gilbert le troubadour y dévoile, page après page, le secret des mots d'amour. Ces mots que l'on trouve au plus profond de soi lorsqu'on les cherche passionnément.

Enthousiasmé, le petit garçon mesure ce qu'il lui reste à lire :

– J'en suis à la page 18, et il y en a 458. Il m'en reste donc quatre cent quarante !

Timéo sait qu'il a encore beaucoup à apprendre, mais il sait aussi qu'en refermant le livre il écrira un poème sincère pour Juliette. Ligne après ligne, l'image de Juliette accompagne sa lecture, penchée sur son épaule avec un sourire très doux, et

Timéo déguste chaque phrase, lentement, très lentement.

Au point qu'il s'endort, le nez sur la page 19.

m

deux

Le livre dans la baignoire

U NE SENSATION ÉTRANGE réveille Timéo : comme si une fourmi se promenait sur sa joue. Il remue la tête, quelque chose tombe sur son oreiller. Quelque chose de noir, de tout petit.

C'est un *m*. Un *m* minuscule.

Lorsque l'enfant pose le livre sur sa table de nuit, trois caractères dégringolent sur la moquette : un *e*, un *u* et un *G* majuscule.

D'autres caractères, peut-être une dou-
zaine, se sont déposés sur le drap durant la
nuit. Il y a même un point et deux virgules.

– On dirait que mon livre fuit… constate
Timéo, incrédule.

Prudemment, il feuillette l'ouvrage jusqu'à la page 19. Rien de particulier. Les

paragraphes dorment sagement alignés, avec leurs majuscules, leurs points et leurs virgules.

Timéo tourne les pages une par une, puis deux par deux, jusqu'à la dernière, la 458, où le texte s'interrompt comme un pont tendu sur le vide.

– Pas de doute, mon livre fuit, gémit le garçon. Il faut absolument faire quelque chose !

Pour parer à l'urgence, Timéo place le livre au bord de la table de nuit, avec un bol en dessous pour recueillir les lettres. Puis il court au bureau, et il cherche dans le petit calepin de maman, celui où elle note tous les numéros-extrêmement-utiles :

– Marchand de mie de pain… Réparateur de cravates… Fourchetterie… Chemiserie… Pantalonnerie… Ah ! Voilà ce qu'il me faut : clinique des livres malades !

Fébrilement, Timéo compose le numéro de la clinique.

– Bonjour, madame, je vous appelle pour un livre qui fuit. Oui… De plus en plus fort… Dans combien de temps? Un quart d'heure? D'accord. Merci, madame. Au revoir, madame.

Timéo raccroche et court à sa chambre. Sous la table de nuit, le bol est presque plein. Le petit garçon s'élance vers la cuisine et rapporte un saladier.

La page 458 s'est complètement vidée de son contenu. Même fermé, le livre continue à fuir, ses lettres tombent comme des grains de poivre.

Timéo attend. Jamais quinze minutes ne lui ont paru durer si longtemps.

Les pages 457, 456 et 455 sont elles aussi devenues vierges. Bientôt, le saladier sera rempli.

Timéo se lève, il se rue vers la baignoire, installe le livre juste au bord, ferme la bonde. Bien vite, des lettres viennent rouler au fond.

À cet instant, Léa, la grande sœur de Timéo, entre dans la salle de bains.

– C'est inadmissible ! hurle-t-elle en apercevant les petits caractères noirs qui coulent dans la baignoire. Voilà deux heures que je n'ai pas pris de bain. Je te préviens, cher petit frère, si dans dix minutes tu n'as pas vidé ça, je l'évacue par le siphon !

– Noooon ! Pas le siphon ! crie Timéo.

Dans sa tête, l'image de Juliette clignote faiblement. Son sourire est en train de s'effacer.

trois

Le nouveau métier d'Athanase

Au BORD DE LA BAIGNOIRE, le livre fuit de plus en plus fort. Chaque fois qu'une lettre tombe, on entend un tout petit PLOC. Parfois aussi, plus rarement, un minuscule PLIC signale la chute d'un point ou d'une virgule.

Timéo ouvre le livre.

– Déjà dix pages d'effacées ! se lamente-t-il en sortant de la salle de bains et en s'asseyant sur le perron pour guetter l'arrivée des secours.

Une ride se creuse sur son front. Tellement profonde qu'on pourrait presque voir ses cauchemars remuer à l'intérieur de son crâne.

– Qu'est-ce qui t'arrive, mon garçon ? Tu es tout pâle !

Timéo lève les yeux. Devant lui se tient son ami Athanase. Celui-ci a troqué son épuisette et son grand sac de chasseur de jeux de mots contre une blouse blanche et une brouette. Il porte toujours son chapeau à plumes à large bord et ses moustaches[1].

– Athanase ! C'est bien vrai ? C'est toi qu'on m'envoie ?

– Absolument ! Je travaille maintenant pour la clinique des livres malades. Explique-moi ton problème.

– Mon livre très précieux est en train de perdre ses lettres, répond Timéo en lui

_____
1. Voir *Le Bureau des mots perdus.*

décochant un pauvre sourire. Je ne pourrai jamais le lire jusqu'au bout…

– Montre-moi cette affaire, mon garçon.

Timéo, reprenant espoir, s'élance vers la salle de bains.

Le livre a encore perdu quarante-cinq pages. À présent, les caractères coulent en jet ininterrompu.

Athanase, penché au-dessus de la baignoire, lisse pensivement ses moustaches.

– Il y a longtemps que ce livre fuit?

– Depuis ce matin. Et le débit s'intensifie.

– Nous n'avons plus une seconde à perdre!

quatre

La ténacité d'Athanase

TIMÉO, LE FRONT EN SUEUR, considère les pauvres pages qui surnagent dans le bouillon de caractères.

— Aurais-tu une rustine? demande soudain Athanase, une lueur d'espoir dans les yeux.

Timéo se faufile dans l'atelier. Des boulons, des vis, des tournevis, des marteaux, des cisailles, des pinces, des clés, des vrilles, des flacons d'huile, de colle, de vernis…

ont colonisé tout l'espace de cet endroit où maman, autrefois, rangeait son vélo. Du vélo, il reste seulement le guidon, que papa utilise pour accrocher ses chapeaux, et une roue toute bricolée qu'il n'a pas eu le cœur de porter à la décharge.

Timéo s'approche d'un vieux meuble à tiroirs où sont rangés les vis et les boulons.

– Je crois que j'ai trouvé !

Timéo est revenu dans la salle de bains. Armé d'une rustine à vélo, il colmate le bord du livre, qu'Athanase maintient au-dessus de la baignoire. Hélas, moins d'une minute plus tard, un *V* majuscule perce la rustine, ouvrant la voie à plusieurs lettres. Inexorablement, le livre perd ses caractères comme un arbre ses feuilles en automne.

La sueur recommence à perler sur le front de Timéo. Pourtant, Athanase ne se laisse pas abattre.

– Apporte moi un sèche-cheveux !

Baissant la voix :

– Il est possible que ta sœur, à force de prendre des bains, ait rendu l'atmosphère de la maison trop humide. Nous allons essayer de sécher les pages.

Même opération, mais dans l'autre sens : tandis que Timéo maintient le livre au-dessus de la baignoire, Athanase allume le sèche-cheveux. À peine a-t-il dirigé l'appareil vers le livre qu'une salve de lettres se décolle, éclaboussant toute la pièce.

– Ce n'est pas ça… conclut Athanase en éteignant aussitôt le sèche-cheveux.

Timéo, le cœur lourd, ramasse un par un les petits caractères noirs éparpillés aux quatre coins de la salle de bains.

– Cette fois-ci, je cale… soupire son ami. Il faut emporter ton livre à la clinique. Transvasons les lettres dans la brouette.

J'espère juste que ton livre supportera le voyage.

cinq

La clinique
des livres malades

LES DEUX AMIS, poussant la brouette à tour de rôle, arrivent devant un bâtiment très clair dont les fenêtres minuscules s'alignent sur la façade comme des caractères d'imprimerie sur une page blanche.

– La clinique! annonce Athanase. Si les fenêtres sont aussi étroites, c'est pour protéger les livres du soleil.

Dans le hall de la clinique, un appareil pulvérise un produit désinfectant sur les arrivants, puis une soufflerie les ébouriffe, les fouette, et les sèche de pied en cap. Ensuite, Athanase indique à Timéo un guichet surmonté d'une tête impatiente.

– Sois bref. La secrétaire n'est vraiment pas commode !

Timéo respire un bon coup et demande :

– Bonjourmadamejevienspourunlivrequi perdtoutesseslettres.

La dame se penche sur la brouette, colle un numéro d'immatriculation sur la couverture du livre et pousse un soupir d'exaspération.

Athanase, qui entraîne le garçon vers une porte non loin de là, chuchote :

– Tu aurais dû dire «Bonjourmonlivre fuit». C'était beaucoup plus court.

On entre dans une première salle où des

employés équipés de brosses et de serpil-
lières astiquent murs et parquets. Certains,
armés d'éventails, s'activent dans les recoins
humides.

– C'est pour éviter la moisissure, ennemi
numéro un du livre, précise Athanase.
Viens ! Je vais te conduire au médecin-chef.

On traverse un immense dortoir. Sur plusieurs rangées de tables reposent des livres très mal en point. Infirmières et infirmiers, coiffés de bonnets blancs, le visage couvert d'un masque hygiénique, s'activent auprès d'eux. Ici, à l'aide d'un pinceau et d'une boîte d'aquarelle, on opère la couverture jaunie d'un vieux roman. Là, on recoud les pages déchirées d'un abécédaire. Ici encore, on traite au fer à repasser les pages gondolées d'une bande dessinée.

– Nous sommes dans la section des cas dits « classiques », indique Athanase. Ces livres ont subi les négligences de leurs propriétaires : exposition prolongée à la lumière, séjour malencontreux dans une flaque d'eau ou, pire, entre les mains de tout jeunes enfants.

Puis Athanase dirige Timéo vers une autre salle.

– Ici, les cas sont plus rares. Les livres sont neufs, mais ils sont sortis de l'imprimerie avec un défaut : pages à l'envers, chapitres mélangés ou provenant d'autres livres.

Athanase désigne un roman dont un chirurgien sépare les cahiers avec des pincettes.

– Un bout de texte traduit en russe s'est glissé au milieu de l'édition française.

Deux infirmiers portent un brancard, sur lequel agonise un dictionnaire complètement démantibulé.

– Hélas, certains livres ne survivent pas à l'opération, explique Athanase. Celui-ci était passé sous les roues d'un camion. Il ne faisait plus que huit millimètres d'épaisseur. La chirurgienne a tenté de le regonfler avec une pompe à oxygène, mais ça n'a pas marché : le dictionnaire a éclaté comme une pastèque.

Les deux amis avancent encore. Ils entrent dans une nouvelle pièce.

– Nous voici dans la salle des cas très très rares, déclare Athanase. Seul le médecin-chef est habilité à les traiter.

À l'entrée d'Athanase et de Timéo, un petit homme souriant, occupé à essuyer son crâne très lisse avec un chiffon, leur tend une main aux ongles impeccables.

– Entrez, Athanase. Que m'amenez-vous là ?

– Eh bien, voilà : le livre de mon jeune ami… comment dire… Ce livre fuit.

Le petit homme au crâne très lisse jette

un regard au livre de Timéo, qui continue à dégorger des lettres dans la brouette. Son sourire a pris l'allure d'un pont dans la brume.

– Le patient a-t-il des puces ? Des tiques ? Des acariens papivores ?

– Euh… non, je ne crois pas.

– Donc ce n'est pas une allergie, reprend le médecin-chef.

– Il est très vieux ! renchérit Timéo. Son allergie aurait dû se déclarer avant.

– Curieux. Curieux et très embêtant. Réfléchissez ! Il est arrivé quelque chose à ce livre récemment… Et vous seul, jeune homme, pouvez savoir quoi.

Timéo songe que ce livre se transmet dans sa famille de génération en génération. Il est apparemment arrivé quelque chose quand papa le lui a offert. Quelque chose qui n'était jamais arrivé. Mais quoi ?

Le chirurgien passe de nouveau un chiffon sur son crâne très lisse, puis il déclare :

– Il faut amputer.

Un silence horrifié résonne dans toute la pièce.

– Je regrette, mon garçon, murmure l'homme en se dirigeant vers un tapis. À présent, je vais vous prier d'attendre. Je dois me préparer pour l'opération.

– Que fait-il ? demande Timéo.

– Dix minutes de yoga, répond Athanase.

L'homme s'allonge, et se met à ronfler.

Dans la salle d'attente, Timéo désespère.

La brouette menace de déborder.

– Athanase, fais quelque chose ! Je ne veux pas qu'on ampute mon livre !

– Mon pauvre Timéo, murmure Athanase, je ne suis qu'un simple infirmier. Je peux enlever des moisissures, rafistoler les coins d'une couverture, ou à la rigueur décorner une page. Mais ton livre, là, si le médecin-chef en personne ignore ce qu'il a…

Les larmes qui s'accumulaient sous les paupières de Timéo débordent d'un seul coup. Les mains devant le visage, il s'effondre sur la brouette, et pleure sur le poème qu'il ne parviendra jamais à écrire pour Juliette.

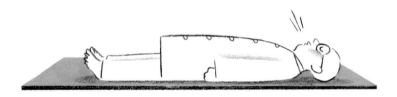

six

La très grande idée d'Athanase

— JE CROIS QUE J'AI TROUVÉ ! s'écrie Athanase. J'ai repensé aux paroles du médecin-chef, et j'ai cherché un événement nouveau pour le livre. Quelque chose qui aurait changé juste avant que ton papa te l'offre.

Timéo se redresse, se frotte les yeux. Un *m* et un *j* minuscules, qui s'étaient logés au coin de ses paupières, dégringolent dans la brouette.

Athanase feuillette les premières pages du livre. Sur la troisième, tous deux lisent :

Mon cher Timéo,
Reçois en cadeau d'anniversaire
ce livre qui, j'espère,
te transpotera dans le monde merveilleux
des mots d'amour !
Ton papa

– La dédicace ! jubile Athanase. La dédicace comporte une faute !!!

Timéo n'en croit pas ses yeux. Il lit et relit le mot de papa et il se demande comment il a pu ignorer cette faute à la première lecture.

Athanase a exhibé un stylo à pointe ultra-fine. Il le tend à Timéo.

– Tiens, tu écris mieux que moi. C'est donc à toi d'opérer.

Le petit garçon prend une grande inspira-

tion, puis il se penche sur le livre. Minutieusement, il approche la fine pointe du mot bancal et, sans trembler, il insère un *r* entre le *o* et le *t*. Après quoi, il contemple son œuvre. Son *r* est peut-être légèrement écrasé entre les deux autres lettres, mais il demeure lisible.

Timéo, doucement, replonge l'ouvrage dans le bain de petits caractères noirs. Le livre s'enfonce un peu, s'immobilise. Plus rien ne bouge. Puis, imperceptiblement, le niveau de la brouette diminue. On entend un petit sifflement, comme une aspiration.

– Athanase, s'écrie Timéo, tu es un génie !

Lorsque le médecin-chef émerge de son yoga, la pièce est vide. La brouette a disparu sans laisser une seule lettre sur le sol.

– Imagine un peu, explique Athanase : pendant sa longue existence, ce livre a été habitué à un ordre très précis. Les paragraphes rangés à leur place, l'orthographe impeccable. Et puis, d'un seul coup, on introduit quelques mots supplémentaires, avec une faute ! C'était plus que ne pouvait supporter un si vieil ouvrage.

– Merci beaucoup, Athanase, murmure

Timéo en plongeant son nez à l'intérieur du livre aux délicieuses senteurs de vieux cuir. Tu seras l'invité d'honneur de mon mariage !

Le soir même, quand maman et papa rentrent du travail, un silence royal les accueille.

– Ouh ! Ouh ! C'est nous ! crient-ils d'une seule voix. Les enfants, vous êtes là ?

Depuis les profondeurs parfumées de son cinquième bain, Léa gargouille un bonsoir paresseux. Quant à Timéo, confortablement installé sur le canapé, il ne répond pas. Il a repris sa lecture et il est tellement concentré qu'il n'entend plus personne.

Dans sa tête, au fil des pages, s'épanouit à nouveau le délicieux sourire de Juliette.

TABLE DES MATIÈRES

Roland Fuentès

Roland Fuentès est un auteur très maniaque. Quand il écrit une histoire, il aime que chaque lettre soit à sa place. Il peut relire ses textes pendant des heures, juste pour vérifier qu'aucune lettre n'a changé de place. Un jour, il a fait un cauchemar horrible. Il a rêvé qu'un coup de vent soufflait sur la page qu'il venait d'écrire et dispersait ses lettres aux quatre vents. Heureusement, ce n'était qu'un rêve. Mais ça lui a donné une idée. L'idée d'un livre qui perdrait ses lettres.

Amandine Laprun

Amandine Laprun est née dans un champ de blé, le nez au vent et la pensée égarée dans les grands ciels champenois ; elle file en ville à l'âge de 15 ans et prend le chemin des études artistiques. Aujourd'hui, elle a trouvé trois séquoias géants sous lesquels poser ses valises et sa table à dessin. Elle y partage son temps entre son activité d'illustratrice et d'intervenante au Service éducatif des Musées de Strasbourg. Quand elle ne fait pas ça, elle s'occupe de ses petits et ils partent jouer ailleurs. En bref, Amandine Laprun est plutôt touche-à-tout mais chaque chose qu'elle entreprend focalise toute son envie, son attention, sa ponctualité et son amour du travail bien fait.

GRAND CONCOURS DE LECTURE ET D'ÉCRITURE !

Plumes en herbe

Chaque année, les Éditions Nathan organisent le concours Plumes en herbe, destiné aux classes de CP et CE1 d'une part et de CE2, d'autre part.

À partir de la première partie de *Le livre qui fuit* de Roland Fuentès, les élèves étaient invités à écrire la suite de l'histoire.

Plus de 1 000 classes, soit environ 20 000 élèves, ont participé au concours. Nous t'invitons à découvrir ici l'histoire gagnante !

Bravo à la classe de CE2 de Valérie Kowal, de l'école primaire publique Marcel Cachin d'Avion (62) :

Théo, Héloïse, Soanne, Louna, Eloane, Timoté, Faustine, Thibaut, Jules, Alexis, Louis, Maëva, Elise, Pierric, Tony, Rachel, Alexy, Martin, Juliette, Thomas, Dalil, Lena, Alexis, Gabriel et Manon !

Ils gagnent la publication de leur histoire et un rallye découverte de trois jours à Paris !

Pour découvrir toutes les histoires des élèves, rendez-vous sur **www.plumesenherbe.fr**

École primaire publique Marcel Cachin d'Avion

Timéo
et le livre malade

Théo, Héloïse, Soanne, Louna, Eloane,
Timoté, Faustine, Thibaut, Jules, Alexis, Louis,
Maëva, Elise, Pierric, Tony, Rachel, Alexy,
Martin, Juliette, Thomas, Dalil, Lena, Alexis,
Gabriel, Manon

Classe de CE2 de Valérie Kowal

Résumé des chapitres 1 et 2

Le papa de Timéo vient de lui offrir un livre ancien et très rare, Le secret des mots d'amour, *qui est dans leur famille depuis des générations. Le livre possède de grands pouvoirs : grâce à lui, papa a déclaré son amour à maman, papi à mamie... et Timéo en aura besoin pour déclarer ses sentiments à Juliette.*

Mais le petit garçon s'endort, le nez sur son livre, en lisant la page 19. Quand il se réveille, des lettres restent collées à sa joue. Timéo les rassemble dans un bol, mais d'autres lettres tombent par terre et les pages se vident. Plus aucun doute : le livre fuit !

Pour sauver le précieux ouvrage, Timéo n'a plus qu'une seule solution : faire appel à la clinique des livres malades ! Il saisit le téléphone et compose le numéro...

trois

À la clinique
des livres malades

Au bout de cinq longues sonneries, quelqu'un décroche enfin.

– La clinique des livres malades, que puis-je faire pour vous ?

– Bonsoir, Madame, je m'appelle Timéo, mon livre a un gros problème, dit le petit garçon d'une voix tremblotante, il fuit. Je ne sais pas quoi faire !

– Depuis combien de temps fuit-il ?

– Je ne sais pas, je me suis endormi avec lui, répond Timéo paniqué. Pour le moment, la dernière page s'est vidée.

– Viens vite à la clinique. Il n'est pas trop

tard, le docteur Dico va te recevoir, c'est un spécialiste de cette maladie.

– J'arrive tout de suite.

– Tu as notre adresse ?

– Oui, elle est notée dans le calepin de ma maman.

Timéo raccroche et prend son livre avec précaution. Il regarde la dernière page : VIDE. La page précédente : vide aussi. Sur la page 456, les mots se sont arrêtés en plein milieu et les lettres continuent à couler. Il referme le malade et le glisse dans un sachet pour ne pas perdre de lettres, met un couvercle sur le bol et sort de la maison sur la pointe des pieds pour ne pas que ses parents l'entendent. Il va dans le jardin et dépose le livre et les lettres dans une brouette.

Timéo part à toute vitesse en direction la clinique qui se trouve à l'autre bout de la ville.

Au bout de quinze minutes, il voit enfin un grand bâtiment en forme de cube avec un livre ouvert sur le dessus et, en lettres lumineuses « Clinique des Livres Malades ».

Timéo entre et se dirige vers l'accueil avec sa brouette.

Derrière le bureau se trouvent de grands livres, ce sont les salles d'opération et les salles d'attente.

Sur les murs, des affiches montrent les maladies soignées ici : la varilettre (tous les points deviennent très gros et rouges), le livrhume (le livre éternue ses lettres), la gastrolettre (on imagine…), et bien d'autres maladies.

La dame de l'accueil indique le chemin du cabinet du docteur Dico à Timéo : troisième livre, deuxième porte à gauche.

Timéo toque à la porte et un petit homme à la blouse recouverte de lettres lui ouvre.

– Docteur, aidez-moi, mon livre fuit, ma brouette va déborder.

– Calme-toi, mon garçon, ton livre a la fuilettre. J'ai un remède très efficace.

Il ouvre un placard, mais le remède n'y est pas.

– Zut, on n'en a plus.

– Mais il n'y a rien à faire, alors ?

– Si, mais c'est très dangereux.

– Ce n'est pas grave, il faut sauver mon livre ! s'exclame Timéo.

– D'accord, les ingrédients du premier mélange sont de la bouillie de racine de témot, une pincée de Lettrinator et de la lave du Mont Lettre.

– Papa garde de la lave à la maison, on ne sait pas pourquoi et nous avons toujours une pincée de Lettrinator sur nous.

– Hélas, ce n'est pas la saison du témot. C'est fichu.

– Comment faire, alors ?

Quatre

Des mots d'amour
pour Juliette

LE DOCTEUR, INQUIET, sort le livre de la brouette et l'ausculte. Les lettres s'écoulent de plus en plus vite.

– On pourrait peut-être les menacer, propose Timéo.

– Tu ne sais pas, mon petit, que les lettres n'ont peur de rien.

Timéo prend quand même le livre et ordonne aux lettres :

– Vous allez me faire le plaisir de rentrer à la maison ou ça va aller mal !

Les lettres frétillent dans la brouette, comme si elles se tordaient de rire.

– Au moins, j'aurai essayé.

Dico se met à feuilleter le livre et voit le message du papa de Timéo. Tout s'explique : les lettres du message ont poussé les lettres du livre, comme des dominos.

– Je ne vois plus qu'une seule solution, dit le docteur, les poings sur les hanches. Il faut jouer un air de flûte pour que les lettres, hypnotisées, se remettent à leur place. Mais je ne suis pas doué en musique. Sais-tu jouer de la flûte?

– Non, mais je connais une dresseuse de lettres, Juliette, qui pourrait nous aider. J'ai son numéro.

Timéo prend son téléphone portable et envoie un message à Juliette. Bip, bip.

– Je viens tout de suite, écrit la petite fille.

Juliette arrive en quelques minutes dans

le cabinet du docteur Dico. Elle connaît bien la clinique car elle est déjà venue pour soigner un de ses livres de contes.

Timéo et le docteur lui expliquent le problème. Elle sort alors une magnifique flûte en bois d'acajou de son étui.

– Où est le patient ? demande-t-elle.

– Le voici, dit tristement Timéo, il n'a presque plus de lettres, le pauvre, c'est bientôt la fin.

– Ne t'inquiète pas, ma mère m'a appris l'air qui guérit de la fuilettre. Tiens le livre ouvert au-dessus de la brouette et ne bouge pas.

Le docteur déplace la brouette au milieu de la pièce, Timéo monte sur un tabouret et ouvre le livre. Les dernières lettres tombent. Vite.

Juliette se met à jouer de la flûte, cet air que jouent les charmeurs de serpents. Les lettres se mettent à se dandiner et, comme par magie, montent dans les airs et entrent dans le livre.

Quand le morceau se termine, il n'y a plus une seule lettre dans la brouette.

– Ouf, s'écrie Timéo, on va vérifier que tout est en ordre.

Le médecin tourne les pages, 19, 20, …, 458, 459. Tout y est !

– Comment ça, 459 ? Il n'y a que 458 pages pourtant ! dit Timéo.

Il se met à lire la page 458 :

Mes mots d'amour pour Denise,
signé Henri.
Mes mots d'amour pour Annie,
signé Richard.
Mes mots d'amour pour Valérie,
signé Alain.

Ce sont les poèmes de grand-papi pour grand-mamie, de papi pour mamie, de papa pour maman !

Il tourne la page et lit :

Chère Juliette…,
signé Timéo.

Il regarde Juliette qui lui sourit.

C'est maintenant à lui de compléter la dernière page avec les lettres de son cœur.

Le bureau des mots perdus

de Roland Fuentès
illustré par Benjamin Adam

« À bout de souffle, les habits trempés par la pluie, Timéo pousse la lourde porte de la Maison des Choses Perdues. Dans le grand hall, un panneau indique l'emplacement d'innombrables bureaux. Haletant, le petit garçon le déchiffre : *Souvenirs perdus, Têtes perdues, Occasions perdues…* Ah ! *Mots perdus* ! Escalier B, troisième étage, porte gauche.

Timéo saute sur ses pieds en inondant le sol de gouttelettes, puis il fonce vers l'escalier, escalade quatre à quatre les marches jusqu'au troisième étage. »

Ce matin, la mère de Timéo lui a ordonné de ne pas oublier le… ? Mais impossible pour lui de retrouver le dernier mot.